一袋小豆豆，
一个小空盆。
双手捧豆豆，
一手抓豆豆，
手指捡豆豆，
小盆装满了。

我有两只手，
左手握右手。

找朋友，
你和我，
握握手，
我们是——
好朋友。

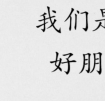

精细动作

真果果 主编

中国人口出版社

左手握玩具，
右手拿玩具，
　敲一敲，
当！当！当！

捏面人

拿起面团，
揉啊揉，
揉好一个大面团。

揪下一小块，
搓一搓，
搓出小圆球。

揪下一小块，
搓出小长条。

揪下一小块，
拍一拍，捏一捏。
哇！
捏出一个小兔子。

玩乐器

小钢琴，
手指弹弹弹。

小提琴，
小手拉拉拉。

玩具琴，
小棍敲敲敲。

小吉他，
手指拨拨拨。

玩具鼓，
小手拍拍拍。

手风琴，
小手又拉又弹，
真棒！

7

玩土

小宝宝，会玩土。
小铲小桶准备好。
泥土铲进小桶里，
一铲，一铲，又一铲。

装呀，装呀，
小桶装满了，
小手拍一拍，
拍拍拍，用力拍。

拍呀，拍呀，
拍得紧紧的，
小桶倒过来，
哇，一座小城堡。

城堡上，插满花，
一朵，两朵，三四朵，
哇哈哈，真漂亮。

画线条

小宝宝，来画画，
拿起笔，画直线，
横一条，竖一条，
画出许多小方格，
你也快来画一画！

大海，小船，
我来加波浪，
弯弯曲曲，
扭来扭去，
画得真棒！

吃饭

小宝宝，
吃香肠，
用叉子，
哈，我会用！

小宝宝，
吃汉堡，
用手拿，
小手记得洗干净！

小宝宝，
要喝汤，
用小勺，
吹一吹，
别烫着。

小宝宝，
吃面条，
用筷子，
有点儿难，
还得慢慢学！

小宝宝，来撕纸，
一条，一条，
一碗面条，
一点儿，一点儿，
呼呼，下雪啦！

14

投放

小杯子，大杯子，
小珠子，大珠子，
珠子放进杯子里，
哈哈，放进去了。

16

大瓶子，小瓶子，
大珠子，小珠子，
珠子放进瓶子里，
口太小，进不去。

17

搭积木

搭积木，
往上搭，
一块，一块，
又一块，
小心，小心，
别倒了！

玩积木，搭火车，
一块，一块，又一块。
一圈，一圈，又一圈。
小宝宝真棒！真棒！

饼干盒，
轻轻一抠，
打开了！

瓶塞子，
往上一拔，
打开了！

果汁瓶，瓶盖紧，
抠不开，拔不开，
逆时针拧一拧，
打开了，打开了！

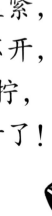

饼干盒，
轻轻一扣，
吧嗒，
盖上了！

小瓶塞，
往下一按，
盖上了！

果汁瓶，
小瓶盖，
顺时针，
拧一拧，
盖上了！

杯子，
大的，
小的，
红的，
绿的，
一大堆。

从小到大，
一个套一个。
从大到小，
一个扣一个。

挖沙子，
堆沙堡，
啪啪啪。

挖个坑，
倒上水，
养条鱼。

抓把沙子，
倒过来，
倒过去。

25

小宝宝，穿珠子，
捏紧线，对准眼，
嗖……
穿过去了！真棒！
一个一个穿过去，
串条项链给妈妈！

我有一个小娃娃，
给她穿上小衣服，
套上小袜子，
穿上小鞋子。

28

洗洗脸，
梳梳头，
一起出去玩儿吧。

图书在版编目 （CIP） 数据

精细动作 / 真果果主编. — 北京 ： 中国人口出版社，
2012.6
　（动作游戏）
　ISBN 978-7-5101-1241-6

　I. ①精… 　II. ①真… 　III. ①游戏课—学前教育—教
学参考资料 　IV. ①G613. 7

　　中国版本图书馆CIP数据核字（2012）第088167号

精细动作

真果果 主编

出版发行	中国人口出版社
印　　刷	北京卡乐富印刷有限公司
开　　本	889毫米×1194毫米　1/20
印　　张	8
版　　次	2012年6月第1版
印　　次	2015年1月第2次印刷
书　　号	ISBN 978-7-5101-1241-6
定　　价	50.00元（全5册）

社　　长	陶庆军
网　　址	www.rkcbs.net
电子信箱	rkcbs@126.com
电　　话	(010) 83534662
传　　真	(010) 83519401
地　　址	北京市西城区广安门南街80号中加大厦
邮　　编	100054